손끝으로 추억하는

사랑했던 그 사람

정현영 도안   김두엽 그림   김소영 총괄

서 사 원

프로필

작품
김두엽

'한국의 모지스'라 불리는 시니어 화가이다. 80세까지는 바느질을 하며 생활했다. 83세 가을쯤 달력 뒷면에 연필로 조그만 사과 하나를 그렸는데 화가인 아들 현영이 보고 아낌없는 칭찬을 해준 게 그림을 그리기 시작한 계기이다. 그때부터 96세가 된 지금까지 하루도 거르지 않고 그림을 그리고 있다. 그림으로 노년의 삶이 더 풍요로워지는 경이로운 경험과 매일 하고 싶은 일이 있다는 즐거움을 나누고 싶어 이 책『웰에이징 시니어 컬러링북 시리즈(총 3권)』를 집필했다.

도안
정현영

정현영 화가 유튜브

서양화 화가이다. '제34회 대한민국 미술대전(2015)' 구상 부문 입선으로 등단했다. 11세까지는 정현호, 54세까지는 이현영으로 살았고 지금은 정현영으로 살고 있다. 정현호부터 정현영까지 그림을 그리는 것 외에 다른 일은 생각해본 적도 없을 만큼 화가를 천직으로 삼고 있다. 어머니 김두엽 화가의 창작 활동을 바로 옆에서 지켜보며 다른 시니어들도 자기 내면에 깊숙이 숨겨져 있어 자신도 몰랐던 나만의 예술혼을 만날 계기가 되길 바라며 이 책『웰에이징 시니어 컬러링북 시리즈(총 3권)』를 집필했다.

총괄
김소영

갤러리 M 블로그

호스피스 병원 행정일 등 다양한 일을 하며 28년 동안 두 아이의 싱글 맘으로 살았다. 어느 날 그림 한 장을 사고 싶어 인터넷으로 검색하다 정현영 작가와 인연이 닿았고 결혼으로 가족이 되었다. 가난한 화가의 살림에 보탬이 되고자 시어머니 김두엽 화가의 이야기를 구술 정리해『그림 그리는 할머니 김두엽입니다』의 출간을 도왔고 김두엽·정현영 두 화가의 그림을 모아 2021년 4월 광양에 〈갤러리 M〉을 개관했다. 김두엽 화가의 창작 활동을 도우며 전국에 계신 시니어들에게도 일상에서 그림을 그리는 재미와 기쁨을 드리고 싶어 이 책『웰에이징 시니어 컬러링북 시리즈(총 3권)』 집필을 총괄했다.

프 롤 로 그

아들 정현영 화가의 칭찬은 제 창작 활동의 원동력입니다. 처음 사과 하나를 그렸던 83세 가을부터 96세가 된 지금까지 현영이의 칭찬은 마르지 않는 샘물 같아요. 저는 아들의 칭찬이 참 좋습니다. 그리고 매일, 그 것도 제가 가장 재미있고 잘할 수 있는 일이 있다는 점도 정말 좋아요. 또 제가 그림을 처음 그릴 때는 밥숟 가락을 들었을 때 손이 흔들흔들 떨렸어요. 70대 중반쯤 수전증이 왔거든요. 한참을 그렇게 살았었지요. 그 런데 그림을 그리기 시작하고 얼마쯤 지났을까요? 어느 날부터 제 손이 떨리지 않는 거예요. 그걸 본 현영 이가 "엄니, 엄니가 그림을 세밀하게 그리시다 보니 수전증이 절로 고쳐졌네요!" 하더라고요. 손끝을 계속 사용하니까 손에 근육도 붙고 두뇌도 더 건강해진 것 같아요. 이 점 역시 정말 기쁘고 감사하답니다. 오늘도 저는 햇살이 가득 내려오는 나의 작은 책상에 앉아 그림 삼매경에 빠져 있습니다. 시니어 독자님들~ "노구 가 즐거울 일이 무에 있겠니……" 하지 말아주세요. 이 책 『웰에이징 시니어 컬러링북 시리즈(총 3권)』가 여 러분의 일상에 즐거움과 건강함을 더해줄 거예요.

_96번째 봄을 기다리며, 광양에서 그림 그리는 할머니 김두엽 올림

저는 대학에서 서양화를 전공했습니다. 대한민국 미술대전에서 입선하여 등단도 했지요. 서양화 화가로서 그림도 많이 보고, 제 손으로 많은 그림도 그리고 있지만 제가 본 어머니, 김두엽 화가의 작품은 어디에서도 보지 못한 독특하고 예쁜 색감의 그림들이라고 생각합니다. 김두엽 화가의 그림들은 보는 사람을 미소 짓게 하는 힘이 있습니다. 이러한 열정과 재능이 같은 화가에게는 훌륭한 자극과 영감이 된다는 게 기쁘고 즐겁 습니다. 김두엽 화가가 그림 그리는 모습을 바로 옆에서 지켜보며 시니어 독자님들도 충분히 하실 수 있다 고 말씀드리고 싶습니다. 이 마음을 담아 이 책 『웰에이징 시니어 컬러링북 시리즈(총 3권)』 속에 담긴 김두 엽 화가의 작품을 하나하나 정성을 다해 도안으로 옮겼습니다. 이 책이 여러분들의 열정이 다시 활활 타오 를 수 있는 계기가 되기를 바랍니다.

_자연의 본질을 탐구하여 작품으로 녹여내는 화가, 정현영 올림

전국에 계신 시니어 독자님들에게 좋은 선물을 드리고 싶은 마음으로 김두엽·정현영 두 화가와 함께 이 책 『웰에이징 시니어 컬러링북 시리즈(총 3권)』를 만들었습니다. "어휴, 예쁘다! 곱구나 고와~" 하시며 눈가에 웃음을 활짝 띠고 이 책을 보시는 모습을 상상하면 절로 흥이 날 만큼 즐거운 시간이었어요. 저는 어머니 김 두엽 화가께서 그림을 그리실 때마다 "어머님, 오늘도 도화지에 꽃을 피우고 계시네요!"라고 말합니다. 이 책 『웰에이징 시니어 컬러링북 시리즈(총 3권)』와 함께 하는 시니어 독자님들도 여러분만의 가장 크고 예쁜 꽃을 종이 위에 피워보시길 바랍니다.

_김두엽·정현영 두 화가의 가장 큰 지원군, 김소영 올림

채 색 도 구 소 개

크레용(Crayon)

동글 길쭉한 막대 모양의 미술 도구입니다. 질감이 단단해 손에 잘 묻지 않아 어린이는 물론 시니어도 사용하기 좋아요. 색감이 선명하고 넓은 면을 쓱쓱 칠하기 좋으니 혹시 선 밖으로 삐져 나가면 어쩌지 걱정하지 말고 시원시원하게 색칠해보세요. 『웰에이징 시니어 컬러링북 시리즈(총 3권)』를 색칠할 때는 12색 혹은 24색이면 충분합니다.

색연필(Color pencil)

색이 있는 연필 모양의 미술 도구입니다. 손에 쥔 강도에 따라 옅게 혹은 진하게 등 다양한 느낌으로 색칠할 수 있어요. 심이 얇아 넓은 면적을 색칠하기에는 적합하지 않지만 오밀조밀 세밀한 느낌으로 색칠하기 좋아요. 『웰에이징 시니어 컬러링북 시리즈(총 3권)』를 색칠할 때는 12색 혹은 24색이면 충분합니다.

수채화 물감(Watercolor)

물에 풀어 사용하는 미술 도구입니다. 물을 적게 사용하면 진하고 선명한 색을 표현할 수 있고 물을 많이 사용하면 맑고 부드러운 색을 표현할 수 있습니다. 물 조절에 익숙해지면 다양한 느낌으로 색칠할 수 있어요. 『웰에이징 시니어 컬러링북 시리즈(총 3권)』를 색칠할 때는 10색 정도면 충분합니다.

사인펜(Marker pen)

기름을 바탕으로 만들어 색이 또렷하고 번짐이 없는 '유성'과 물을 바탕으로 만들어 부드러운 수채화 느낌을 낼 수 있는 '수성'으로 나뉘는 미술 도구입니다. 또렷한 선을 그을 수 있기에 색칠 후 테두리를 그릴 때 사용하면 좋아요. 『웰에이징 시니어 컬러링북 시리즈(총 3권)』를 색칠할 때는 10색 정도면 충분합니다.

오일 파스텔(Oil paste)

많은 사람에게 '크레파스'라는 이름으로 더 익숙한 미술 도구입니다. 크레용에 기름(오일)이 더해졌기에 크레용보다 질감이 무르고 적은 힘으로도 부드럽게 칠해집니다. 색칠 후 손가락이나 휴지 등으로 문질러 자연스럽게 그라데이션 효과를 낼 수 있기에 적은 색으로도 다양한 느낌을 표현할 수 있습니다. 『웰에이징 시니어 컬러링북 시리즈(총 3권)』를 색칠할 때는 10색 정도면 충분합니다.

아크릴 물감(Acrylic paint)

물에 개어 사용하는 미술 도구로 이 책에 담긴 김두엽 화가의 모든 작품은 아크릴 물감을 사용했습니다. 색을 칠하면 빨리 마르기에 물을 적게 사용하고 여러 번 덧칠하면 유화 느낌을, 물을 많이 사용하면 선명한 수채화 느낌을 낼 수 있어요. 『웰에이징 시니어 컬러링북 시리즈(총 3권)』를 색칠할 때는 12색 혹은 24색이면 충분합니다.

웰에이징 시니어 컬러링북 시리즈

사용 설명서

Q. 어떻게 구성되어 있나요?

왼쪽 페이지에는 채색된 김두엽 화가의 작품, 오른쪽 페이지에는 직접 색칠할 수 있는 정현영 화가의 도안 작품으로 구성되어 있습니다. 꼭 도안을 색칠하지 않아도 김두엽 화가와 정현영 화가의 작품을 한 장 한 장 감상하는 시간을 보내셔도 좋아요. 김두엽 화가의 그림을 보며 어떤 색이 더 눈에 들어오는지도 살펴보세요. 나의 컨디션에 따라 끌리는 색이 다름을 느껴보는 것도 색다른 경험이 될 거예요.

Q. 어떤 미술 도구로 색칠하면 될까요?

어떤 미술 도구를 사용하여 색칠하셔도 좋습니다. 그날의 기분에 따라 미술 도구를 고르셔도 좋고 기관이나 단체 등에서 미리 준비한 미술 도구를 사용하셔도 좋아요. '크레용+수채화 물감' '색연필+사인펜' 등 2가지 이상 미술 도구를 함께 사용하면 더욱더 완성도 높은 작품을 만들 수 있답니다.

Q. 어떻게 색칠하면 좋을까요?

우선 도안 선에 맞추어 안쪽 면을 꼼꼼하게 색칠해보세요. 사인펜 등으로 도안 선을 또렷하게 따라 그려도 좋아요. 오밀조밀한 도안을 색칠할 때는 손에 힘이 많이 들어가 색칠이 좀 더 힘들 수도 있어요. 하지만 반복해 색칠하다 보면 어느새 소근육 발달은 물론 인지 기능까지 강화된답니다. 꼭 도안 선에 맞추어 색칠하지 않아도 괜찮아요. 도안 선을 넘나들며 거침없이 쓱쓱 색칠하는 것도 또 다른 재미니까요. 오늘, 나는 무슨 색으로 어떻게 색칠하고 싶은지 내 마음속 소리에 귀를 잘 기울이며 즐겁게 색칠하시면 좋겠습니다.

Q. 컬러링북은 색칠만 할 수 있는 것 아닌가요?

이 책『웰에이징 시니어 컬러링북 시리즈(총 3권)』에 담긴 짧은 이야기는 김두엽 화가가 독자님들에게 건네는 다정한 대화입니다. 비슷한 기억이 있다면 "맞아! 나도 그랬는데!" 하며 공감대가 형성될 것이고, 결이 다른 기억이라면 "나는 이랬는데 말이지~!" 하며 행복했던 추억을 떠올려보는 계기가 될 거예요. 좋아하는 색으로 도안을 색칠하며 두런두런 이야기도 나누고 하하 호호 웃다 보면 어느새 스트레스도 해소되고 마음도 편안해졌음을 느낄 수도 있답니다.

Q. 색칠한 도안은 어떻게 활용할 수 있을까요?

이 책『웰에이징 시니어 컬러링북 시리즈(총 3권)』속에 담긴 도안을 한 장씩 색칠하실 때마다 세상에 단 하나뿐인 나만의 작품을 완성했다는 뿌듯함과 성취감을 느낄 수 있을 거예요. 그중 특히 마음에 드는 작품이 있다면 자르는 선을 따라 잘라 잘 보이는 곳에 그림을 붙인 후 감상해보세요. A4 크기라 액자에 넣어 보관하기에도 좋답니다. 고마운 사람에게 선물한다면 세상 유일무이한 선물이 되겠지요?

*위의 사진들은 어린이부터 시니어까지 다양한 연령대의 체험단이 『웰에이징 시니어 컬러링북 시리즈(총 3권)』를 즐기는 모습입니다.

저의 첫사랑은 단추공장 사장님 아들이었어요.
자전거 뒤에 나를 태워 출퇴근을 도와주었지요.
꽃나무 아래 데이트는 늘 설레었습니다.
그 꽃나무 기억이 아직 선명한데,
팔순 때 다시 오사카를 방문했더니 그 시절 풍경이 온데간데없었지요.
하지만 내 마음속 꽃나무는 그림 속에서 다시 피어나니 괜찮습니다.

꽃 피는 봄날, 첫사랑과 데이트했던 기억을 그렸어요.

눈길 닿는 사방마다 꽃이 핀, 제 처녀 시절의 어느 날이었답니다.

사실 그 사람이 슬며시 걸치듯 잡은 손을 다시 꽉 잡은 건 저였어요.

콩닥콩닥 뛰던 제 심장 소리를 들키고 싶지 않았지만,

아마 그 사람의 심장도 나처럼 숨 가쁘게 뛰었을 거예요.

가끔은 바닷가에 나가 봅니다.

어느 날은 여수로, 어느 날은 순천으로 가보지요.

이곳에서도 서로 손을 잡고 다정히 거니는 사람들이 있습니다.

아주 예뻐요.

나도 그 사람과 저렇게 손을 잡고 바닷가를 걸었었는데,

그때의 내 모습도 아주 예뻤을 거예요.

당신도 무척 예뻤을 거예요.

그렇지요?

무엇이 그리도 좋았을까요?
이제 세월이 너무 오래되어 그때 그 사람과
무슨 이야기를 나누었는지 정확히 기억이 나진 않지만
포근한 봄밤 데이트에 나비도 살포시
날아와 주었던 기억만은 선연합니다.

목에는 스카프, 발에는 등산화를 신고

아들과 며느리가 집을 나섭니다.

집 앞에 보이는 서산으로 운동하러 간다네요.

아들과 며느리가 볼 풍경을 상상하며 나는 도화지에다

산들바람이 부는 숲과 들꽃들이 피는 풍경을 그렸습니다.

다 그려놓고 보니 며느리 얼굴이 뾰로통합니다.

운동이 생각보다 힘든가 봐요.

여자를 어르고 달래는 건 남자의 몫입니다.

현영이가 잘 달래주었겠지요?

집을 그린다는 건 행복한 가정을 이루고 싶은

마음의 소원이 표현된 것이라나요?

그 사람과 데이트를 하다가 함께

우리의 집으로 돌아가고 싶은 소망이 늘 있었어요.

그 소망을 늦게나마 그림으로 남겨봅니다.

그 사람과 나, 참 예쁜 한 쌍이었네요.

시골 장남에게 시집갔더니 새벽부터 늦은 밤까지
살림하랴, 시집살이하랴 정신없이 살았더랬지요.
어느 날 하루 정도는 남편과 단둘이 나가 데이트하고 싶었습니다.
바람도 쐬고 맛있는 것도 먹고 한가롭게 산책하는 바닷가 데이트를요.
하지만 그런 날은 찾아오지 않았어요. 상상만 했었지요.
상상 속 저는 늘 예쁜 분홍색 원피스를 입고 있었습니다.

10년 넘게 그림을 그리고 있지만 사람을 그리는 건 항상 어려워요.

하지만 오늘도 다정한 두 사람을 도화지 위에 그렸습니다.

저는 가장 좋아하는 1호 붓으로만 그림을 그리는데요.

그래서 며느리가 한 번에 10개씩 사다 준답니다.

눈 코 입을 그릴 때는 혹시라도 밉게 그려질까 봐 신중히, 또 신중히 그리는데도

다 그려놓고 보니 남자의 표정이 화난 듯이 보입니다.

반대로 여자는 무언가를 해명하는 듯 보이네요.

이 연인에게는 대체 무슨 사연이 있는 것일까요?

여러분께서 한번 맞추어보실래요?

아버지가 사주신 양산을 일본에 두고 왔다는 걸
귀국선 배를 타고서야 생각이 났어요.
양산을 두고 왔다고 말하니 아버지는 나를 달래려고
한국에 가면 새로 사주마 하셨지요.
하지만 시골살이는 일본에서 살던 때와는 달랐어요.
지금은 딸이 사준 파란색 양산을 쓰고 다니지만
문득문득 그 양산이 생각납니다.
눈썹달이 뜬 어느 날,
노란 저고리에 붉은 치마를 입고 예쁘게 화장도 하고
양산을 썼던 제 젊은 모습을 그리며 미소를 지어봅니다.

아들 현영이가 이 그림을 보더니
"엄니, 파란색 배경이 참 좋네요" 합니다.
단추공장에서 퇴근하고 집에 와 후딱 저녁을 먹고 나면
그 사람이 자전거를 타고 나를 데리러 왔었어요.
그와 함께 집을 나서며 본 어스름한 저녁 빛이 생각나 그려보았지요.
내게 잘 보이고 싶었는지 말쑥한 조끼를 입었던 그 사람이 기억납니다.

사랑한다고 고백받은 날이었습니다.

그 사람의 얼굴만큼 붉디붉은 꽃다발도 받았지요.

그날을 떠올리면 기쁨에 눈이 부십니다.

그래서 샛노란 색으로 배경을 칠해주었지요.

다 그린 후 실눈을 뜨고 감상해 봅니다.

그때 그 시절로 돌아간 듯 기억이 선명해집니다.

살다 보면 좋은 날도 있고 나쁜 날도 있는 거 아니겠어요?

데이트 날에도 일찍 오는 날도 있고 늦게 오는 날도 있는 거 아니겠어요?

약속 시각보다 늦어버린 나에게 심통은 났지만

내가 슬그머니 잡은 손을 뿌리치지는 않던 그 사람,

우리 가끔이라도 다정했던 그 사람을 기억해 보자고요.

며칠 전부터 꽃다발을 선물 받고 싶다고 넌지시 말했더니
그 사람, 꽃다발을 들고 내게 걸어옵니다.
역시 남자는 하얀 셔츠를 입으면 참 멋있지요.
저도 그 사람에게 예쁘게 보이고 싶어
분홍빛 원피스에 빨간 구두를 신었지요.
꽃들과 함께 한 꽃 밤 데이트였답니다.

저는 '배'를 떠올리면 귀국선이 생각납니다.

어머니는 막냇동생을 귀국선 안에서 낳으셨어요.

선장이 어머니와 동생을 위해 선장실도 내어주고

어디서 구했는지 누군가는 미역국도 끓여주는 등

여러 사람이 함께 기뻐해 주었지요.

배를 그리며 그때 사람들이 보여준 사랑을 떠올려봅니다.

나는 별채가 있는 부잣집에서 살고 싶었어요.

사랑하는 낭군님과 문전옥답의 익어가는 벼들을 보며

부족함 없이 살면 좋겠다 싶더라고요.

닭과 병아리들도 기르고요.

그렇게 무엇이든 이룰 수 있을 듯한 희망이 있었더랬지요.

이제는 그 희망 사항을 도화지에 그려봅니다.

그 사람이 눈치채지 못하게 살짝 바라봅니다.

미남은 아니었지만 손이 따뜻하고 가슴이 넓어 포근했던 사람이었지요.

해방되던 날의 기억이 선명합니다.

라디오에서 나오는 소리에 사람들이 귀를 기울이다

드디어 해방이 되었다고 모두 만세를 부르며 기뻐했던 날이었어요.

하지만 기뻐했던 것도 잠시, 일본 사람들에게 해를 당할까

서둘러 아무도 모르게 귀국선을 타러 가야 했어요.

잘 지내라는 말 한마디 못하고 헤어진 그 사람,

이제는 너무 오래되어 얼굴도 희미해졌지만

마음에는 여전히 남아 있는 그 사람이 아직도 생각이 납니다.

오늘도 아들 현영이에게 제가 시집가던 날 이야기를 합니다.
백 번도 넘게 말했는데도 또 어느새 이야기가 술술 흘러나와요.
이게 다 텔레비전에서 화려한 혼례복을 입고 서로를 다정히 바라보며
춤을 추는 어느 연인을 보아서 그렇습니다.
다음 생이 있다면 그 사람과 다시 만나 저렇게 예쁜 결혼식을 하고 싶어요.

저는 올해 96세가 되었습니다.

이 나이쯤이면 세상 대부분 일에 시큰둥하지요.

그래도 내 인생 최고의 즐거움은 역시 누군가를 사랑했던 추억입니다.

나의 마음은 아직 청춘인가 봅니다.

그 마음을 도화지에 그려보았어요.

눈앞에 멋진 푸른 바다가 펼쳐져 있어도

나와 그 사람은 서로에게서 눈을 떼지 못했었습니다.

"당신, 나를 얼마만큼 사랑해요?" 하고 물으면 그 사람은 늘
"저어기 하늘만큼, 땅만큼 사랑하지요!"라고 대답했었습니다.
그 말을 생각하며 그림을 다 그려놓고 보니
내가 그린 게 하늘인지 바다인지 모를 만큼 파란빛이 넘실거립니다.
여러분이 보기에는 어떤가요?
하늘처럼 보이나요, 바다처럼 보이나요?

유달리 말이 없던 데이트였어요.

각자 너무 힘든 하루를 보내고 만났더니 기운이 없어

대화보다 침묵이 더 많이 흘렀지만

꼭 잡은 손에서 다정한 위로가 느껴지는 걸 보니

역시 그 사람과 나는 천생연분이었구나 싶습니다.

여러분의 오늘은 어떠셨나요?

이 작품 속 꽃들이 청사초롱처럼 당신의 밤을 밝혀줄 거예요.

안녕히 주무세요!

삶에 즐거움을 더하는
서사원 〈웰에이징 시리즈〉 컬러링북 편

웰에이징 시니어 컬러링북 ①

웰에이징 시니어 컬러링북 ②

웰에이징 시니어 컬러링북 ③

손끝으로 추억하는
사랑하는 예쁜 꽃

김두엽 그림·정현영 도안·김소영 총괄
| 56쪽 | 12,000원

손끝으로 추억하는
사랑했던 그 사람

김두엽 그림·정현영 도안·김소영 총괄
| 48쪽 | 12,000원

손끝으로 추억하는
사랑하는 나의 가족

김두엽 그림·정현영 도안·김소영 총괄
| 48쪽 | 12,000원

"현직 화가들의 수준 높은 작품을 감상하고
좋아하는 색으로 직접 색칠해보며
뇌에는 건강을, 손에는 근력을, 마음에는 쉼을, 삶에는 활력을 선물하세요!"

〈1권 꽃〉〈2권 연인〉〈3권 가족〉이라는 다채로운 내용으로 구성되어 있어 매일 다른 도안으로 골라 색칠하는 재미가 있습니다. 큼직하고 시원시원한 도안부터 오밀조밀하고 세밀한 도안까지 여러 난이도가 담겨 있어 색칠할 때 손의 힘 조절을 다양하게 할 수 있는데, 이를 통해 소근육이 발달하여 수전증 완화는 물론 인지 기능까지 강화할 수 있답니다. 또한 아이부터 시니어까지 다양한 연령대에서 예쁘다고 느낄 만한 작품들이 담겨 있기에 혼자는 물론 또래, 가족이 함께 색칠하며 그림에 관해 이야기를 나누는 행복한 시간을 보낼 수 있어요. 이 책『웰에이징 시니어 컬러링북 시리즈(총 3권)』와 함께 그림으로 삶이 더욱더 풍요로워지는 경이로운 경험과 매일 하고 싶은 일이 있다는 재미와 기쁨을 누려보세요!